孟母三迁

xiǎo shí hou mèng zǐ jiā zhù zài fén chǎng fù jìn tā jīng cháng mó fǎng shàng fén rén zuò sāng shì
小时候孟子家住在坟场附近，他经常模仿上坟人做丧事。mèng mǔ zhī dào hòu jiù bǎ jiā bān dào zhèn shang kě lín jū shì yí wèi tú fū mèng zǐ yòu xué zhe
孟母知道后，就把家搬到镇上，可邻居是一位屠夫，孟子又学着 tú fū mài zhū ròu zuì hòu mèng mǔ bān dào xué xiào fù jìn mèng zǐ cái gēn
屠夫卖猪肉。最后，孟母搬到学校附近，孟子才跟 zhe xué sheng men dú qǐ shū lai yǒu yì tiān mèng zǐ táo xué huí lai mèng
着学生们读起书来。有一天，孟子逃学回来，孟 mǔ zhèng zài zhī bù tā yí qì zhī xià jiǎn pò le zhěng piàn zhī
母正在织布，她一气之下，剪破了整片织 hǎo de bù shuō rú jīn nǐ suí yì táo
好的布，说："如今你随意逃 xué jiù xiàng wǒ jiǎn duàn zhè kuài bù yí
学，就像我剪断这块布一 yàng qián gōng jìn qì le
样，前功尽弃了。"

专家提示

应当告诉孩子，跟什么样的人交朋友，对你的将来会有很大的影响，教育孩子一定要跟善良的、爱学习的孩子做朋友。

dòu yān shān yǒu yì fāng jiāo wǔ zǐ míng jù yáng
窦燕山，有义方。教五子，名俱扬。

yǎng bú jiào fù zhī guò jiào bù yán shī zhī duò
养不教，父之过。教不严，师之惰。

zǐ bù xué fēi suǒ yí yòu bù xué lǎo hé wéi
子不学，非所宜。幼不学，老何为？

注释

五代时，有个叫窦燕山的人。他教育子女有一套很好的办法。他所教育的五个孩子，个个都学有所成，名扬天下。

养了孩子如果不好好地教育，这是父母的过错。教育学生，不能严格要求，这是老师没有尽到责任。年轻时不好好学习，是很不应该的。这样，等到老的时候，又能有什么大作为呢？

shān

bù

岳母刺字重报国

mín zú yīng xióng yuè fēi nián yòu shí jiā zhōng shí fēn pín qióng suī rán rì zi nán guò dàn yuè
民族英雄岳飞年幼时，家中十分贫穷。虽然日子难过，但岳
mǔ bìng méi yǒu fàng qì duì hái zi de jiào yù tā zuò le yí gè shā pán ràng yuè fēi zài shàng miàn yòng
母并没有放弃对孩子的教育。她做了一个沙盘，让岳飞在上面用
shù zhī xiě zì tā hái bǎ hái zi sòng dào zhù míng de wǔ shù jiā zhōu
树枝写字。她还把孩子送到著名的武术家周
tóng nà lǐ xué wǔ yì wèi le ràng yuè fēi zhōng
同那里学武艺。为了让岳飞忠
yú zǔ guó tā zài yuè fēi de hòu bèi shang
于祖国，她在岳飞的后背上
cì xià le jīng zhōng bào guó sì ge dà zì
刺下了“精忠报国”四个大字，
jiào tā shén me shí hou dōu bú yào wàng le bǎ
叫他什么时候都不要忘了把
guó jiā de lì yì fàng zài dì yī wèi
国家的利益放在第一位。

专家提示

一定要孩子明白一个道理：无论是父母还是老师，对他的严格要求都是为了让他能更好地成长。

yù bù zhuó bù chéng qì rén bù xué bù zhī yì
玉不琢，不成器。人不学，不知义。

wéi rén zǐ fāng shào shí qīn shī yǒu xí lǐ yí
为人子，方少时。亲师友，习礼仪。

xiāng jiǔ líng néng wēn xí xiào yú qīn suǒ dāng zhí
香九龄，能温席。孝于亲，所当执。

注释

一块玉石质地很好，但是如果不经过玉工雕琢，就不能成为一件精美的玉器。一个人如果不努力学习，就不会明白事理。做儿女的，在年轻时就应当尊敬、亲近老师和朋友，学习人和人之间交往的礼节。

黄香才九岁，就知道用自己的身子为父亲暖被窝，让父亲能睡得好。孝敬自己的父母，这是每个子女都应当做到的。

yù	xué	yǒu
玉	学	友

师文拜师

chūn qiū shí qī de zhèng guó yǒu yí wèi yuè shī míng jiào shī wén tā tīng shuō lǔ guó chū le yí wèi cái huá chū zhòng de yīn yuè jiā shī xiāng qīn pèi jí le yú shì jiù lí kāi zhèng guó qù lǔ guó bài shī shī xiāng dài rén yán lì cóng bù qīng yì shōu dì zǐ shī wén kǔ kǔ āi qiú dào qǐng lǎo shī shōu xià wǒ zhè gè xué sheng ba wǒ jué bù bàn tú ér fèi shī xiāng zhōng yú bèi shī wén de chéng yì hé jué xīn gǎn dòng shōu xià le zhè gè dì zǐ

春秋时期的郑国有一位乐师，名叫师文。他听说鲁国出了一位才华出众的音乐家师襄，钦佩极了，于是就离开郑国去鲁国拜师。师襄待人严厉，从不轻易收弟子。师文苦苦哀求道："请老师收下我这个学生吧，我决不半途而废。"师襄终于被师文的诚意和决心感动，收下了这个弟子。

专家提示

从小就应该让孩子养成好习惯，还要学会孝敬父母。这对孩子将来的成长将会有很大的影响。

róng sì suì néng ràng lí dì yú zhǎng yí xiān zhī
融四岁，能让梨。弟于长，宜先知。

shǒu xiào tì cì jiàn wén zhī mǒu shù shí mǒu wén
首孝悌，次见闻。知某数，识某文。

yī ér shí shí ér bǎi bǎi ér qiān qiān ér wàn
一而十，十而百。百而千，千而万。

注释

孔融四岁的时候，就知道把大梨让给哥哥们吃。做弟弟的要尊敬兄长，这个道理，应该从小就知道。

一个人首先要孝顺父母、尊敬兄长；其次要扩展自己的知识，丰富自己的见闻，学会计算，懂得文理。

从一到十，从十到百，从百到千，从千到万，这些基本的数字不可以不知道。

wén

qiān

孔融让梨

kǒng róng shì dōng hàn mò nián de wén xué jiā tā jiā yǒu xiōng dì qī rén tā pái háng zuì xiǎo
孔融是东汉末年的文学家。他家有兄弟七人,他排行最小。
kǒng róng sì suì shí jiù dǒng de qiān ràng zhī lǐ yì tiān lín jū gěi tā jiā sòng lái yì kuāng lí
孔融四岁时,就懂得谦让之礼。一天,邻居给他家送来一筐梨,
kǒng róng cóng róng de xuǎn yí gè xiǎo lí
孔融从容地选一个小梨,
bǎ dà lí ràng gěi gē ge men dà rén wèn
把大梨让给哥哥们。大人问
tā wèi shén me tiāo xiǎo de chī tā huí dá
他为什么挑小的吃,他回答
shuō wǒ shì jiā li nián líng zuì
说:“我是家里年龄最
xiǎo de dāng rán yào chī zuì xiǎo de
小的,当然要吃最小的
lí le
梨了。”

专家提示

家长可以把孔融让梨的故事耐心地讲给孩子听，教导他们要向小孔融学习,做个有礼貌懂谦让的孩子。

sān cái zhě tiān dì rén sān guāng zhě rì yuè xīng
三才者，天地人。三光者，日月星。

sān gāng zhě jūn chén yì fù zǐ qīn fū fù shùn
三纲者，君臣义。父子亲，夫妇顺。

yuē chūn xià yuē qiū dōng cǐ sì shí yùn bù qióng
曰春夏，曰秋冬。此四时，运不穷。

注释

宇宙间有三样最基本的物体，就是天、地、人。天宇上有三种光源，就是太阳、月亮、星星。人世间有三条纲领：一是君臣间要仁义，君要圣明，臣要忠心；二是父子间要亲爱，父要慈善，子要孝顺；三是夫妻间要和顺，即夫唱妇随。按古人的说法，大家遵守“三纲”，那么君正于朝，臣正于国，父正于家，夫正于室，天下就能安定太平了。

一年之中有春、夏、秋、冬四个季节。这四个季节循环往复，永远也没有尽头。

cái 才

rì 日

忽必烈深明大义

yuán cháo de dì yī ge huáng dì jiào hū bì liè tā nián qīng shí tā de gē ge yě jiù shì dāng
元朝的第一个皇帝叫忽必烈。他年轻时，他的哥哥也就是当
shí de méng gǔ dà hán duì tā bú fàng xīn biàn pài rén lái diào chá tā tā shēn míng jūn chén zhī yì
时的蒙古大汗对他不放心，便派人来调查他。他深明君臣之义，
yú shì zhǔ dòng bǎ zì jǐ de qī zi ér nǚ dōu sòng dào dà hán nà lǐ tā de
于是，主动把自己的妻子、儿女都送到大汗那里。他的
zhè yì jǔ dòng biǎo míng le zì jǐ méi yǒu èr xīn dà hán jiàn tā
这一举动表明了自己没有二心。大汗见他
rú cǐ zhōng xīn yě jiù fàng le xīn zì
如此忠心，也就放了心。自
cǐ yǐ hòu xiōng dì èr rén méi le wù
此以后，兄弟二人没了误
huì guān xì chǔ de fēi cháng hǎo
会，关系处得非常好。

专家提示

教导孩子理解“三才”“三光”“三纲”的含义，并引导他背诵下来，同时还要给他们讲一些相关故事，方便孩子加深理解。

yuē nán běi　yuē xī dōng　cǐ sì fāng　yìng hū zhōng
曰南北，曰西东。此四方，应乎中。

yuē shuǐ huǒ　mù jīn tǔ　cǐ wǔ xíng　běn hū shù
曰水火，木金土。此五行，本乎数。

yuē rén yì　lǐ zhì xìn　cǐ wǔ cháng　bù róng wěn
曰仁义，礼智信。此五常，不容紊。

注释

南、北、西、东，这是四个方向。这四个方向对应存在，又都围绕着中央。

水、火、木、金、土，这叫做“五行”。古人认为世界上的万事万物都由五行构成，五行相克相生，这是一切物质的来源。

仁、义、礼、智、信，这叫做“五常”，也就是做人的五条准则。这五条准则每个人都要努力去实行，不容紊乱。

dōng	fāng	tǔ
东	方	土

古人重"五常"

yǒu yí cì zǐ gòng wèn kǒng zǐ zhèng zhì kǒng zǐ shuō yǒu zú gòu de liáng shi yǒu zú gòu
有一次，子贡问孔子政治，孔子说："有足够的粮食，有足够
de jūn duì lǎo bǎi xìng xìn rèn guó jūn jiù kě yǐ le zǐ gòng shuō rú guǒ wàn bù dé yǐ yào qù
的军队，老百姓信任国君，就可以了。"子贡说："如果万不得已，要去
diào yí xiàng xiān qù diào nǎ yí xiàng ne kǒng zǐ shuō qù diào jūn duì zǐ
掉一项，先去掉哪一项呢？"孔子说："去掉军队。"子
gòng shuō zài bù dé yǐ yòu yào qù diào yí xiàng nà xiān qù diào nǎ yí xiàng
贡说："再不得已，又要去掉一项，那先去掉哪一项
ne kǒng zǐ shuō qù diào liáng shi zì gǔ yǐ lái rén zhōng yǒu yì sǐ
呢？"孔子说："去掉粮食。自古以来，人终有一死，
dàn shì méi yǒu lǎo bǎi xìng de xìn rèn guó
但是没有老百姓的信任，国
jiā jiù bù néng chéng lì
家就不能成立。"

专家提示

"五行""五常"对于孩子来说是比较难懂的，他们会读即可。但家长可以给他们讲一些有关物质的小知识和做人的小道理。

dào liáng shū　mài shǔ jì　cǐ liù gǔ　rén suǒ shí
稻粱菽，麦黍稷。此六谷，人所食。

mǎ niú yáng　jī quǎn shǐ　cǐ liù chù　rén suǒ sì
马牛羊，鸡犬豕。此六畜，人所饲。

yuē xǐ nù　yuē āi jù　ài wù yù　qī qíng jù
曰喜怒，曰哀惧。爱恶欲，七情俱。

注释

稻、粱、菽、麦、黍、稷，这六种谷物是人类的主要食粮。马、牛、羊、鸡、狗、猪，这叫做"六畜"，都是人们饲养的家畜。

高兴、生气、悲哀、恐惧、爱恋、厌恶、欲念，这七种感情是人类生来就具备的。

mài	mǎ	suǒ
麦	马	所

民以食为天

suí cháo mò nián suí yáng dì huāng yín wú chǐ cán rěn dú là wèi mǎn zú zì jǐ jiāo shē yín yì
隋朝末年，隋炀帝荒淫无耻，残忍毒辣。为满足自己骄奢淫逸
de shēng huó tā dà xīng tǔ mù sōu guā mín cái jiā shàng dāng shí tiān zāi bú
的生活，他大兴土木，搜刮民财，加上当时天灾不
duàn liù gǔ bù dēng lǎo bǎi xìng shēng huó kǔ bù kān yán chéng qiān
断，六谷不登，老百姓生活苦不堪言。成千
shàng wàn de nóng mín bèi jǐng lí xiāng liú luò tā fāng tā men zhǐ
上万的农民背井离乡，流落他方，他们只
néng yòng shù pí cǎo gēn chōng jī shèn zhì zhǔ ní tǔ chī
能用树皮、草根充饥，甚至煮泥土吃，
è jí le hái fā shēng rén chī rén de cǎn jù suí mò dà guī
饿急了，还发生人吃人的惨剧。隋末大规
mó de nóng mín qǐ yì jiù shì zài zhè
模的农民起义，就是在这
yàng de bèi jǐng xià fā shēng de
样的背景下发生的。

专家提示

跟孩子解释一下什么是六谷，如果有可能，还要带孩子去农村看看六谷与六畜都是什么样的。

páo tǔ gé mù shí jīn sī yǔ zhú nǎi bā yīn
匏土革，木石金。丝与竹，乃八音。

gāo zēng zǔ fù ér shēn shēn ér zǐ zǐ ér sūn
高曾祖，父而身。身而子，子而孙。

zì zǐ sūn zhì xuán zēng nǎi jiǔ zú rén zhī lún
自子孙，至玄曾。乃九族，人之伦。

注释

匏做的笙、竽，土质的埙，革做的鼓，木质的柷（敔），石质的磬，金属做的钟，以及琴、瑟、箫、笛，这是“八音”。

由高祖父生曾祖父，曾祖父生祖父，祖父生父亲，父亲生我，我生儿子，儿子再生孙子。高祖父、曾祖父、祖父、父亲、自己、儿子、孙子、曾孙、玄孙，这是“九族”，表示着亲族之间的亲疏远近、尊卑老幼关系。

mù fù
木 父

阴谋败露祸九族

dà jiāng jūn huò guāng de nǚ ér shì huáng fēi kě tā de mǔ qin què yì xīn xiǎng ràng nǚ ér
大将军霍光的女儿是皇妃，可她的母亲却一心想让女儿
dāng shàng huáng hòu jiù zài huáng hòu shēng hái zi de shí hou tā mǎi tōng tài yī dú sǐ le huáng
当上皇后。就在皇后生孩子的时候，她买通太医毒死了皇
hòu nǚ ér zuò le xīn huáng hòu cóng cǐ huò jiā de rén bāo kuò pú rén dōu héng
后，女儿做了新皇后。从此，霍家的人包括仆人都横
xíng bà dào wú è bú zuò yǐn qǐ le cháo tíng dà chén hé lǎo bǎi
行霸道，无恶不作，引起了朝廷大臣和老百
xìng de bù mǎn hòu lái xuān dì shè jì yí bù bù
姓的不满。后来，宣帝设计，一步步
xuē qù le huò jiā rén shǒu zhōng de dà quán biǎn
削去了霍家人手中的大权，贬
le huáng hòu zuì hòu miè le huò jiā jiǔ zú
了皇后，最后灭了霍家九族。

专家提示

借助《三字经》的这段文字教给孩子应该孝敬父母、尊敬老人的道理。

fù zǐ ēn　fū fù cóng　xiōng zé yǒu　dì zé gōng
父子恩，夫妇从。兄则友，弟则恭。

zhǎng yòu xù　yǒu yǔ péng　jūn zé jìng　chén zé zhōng
长幼序，友与朋。君则敬，臣则忠。

cǐ shí yì　rén suǒ tóng
此十义，人所同。

注释

儿子要报答父母的恩情，妻子要顺从自己的丈夫，哥哥对弟弟要友爱，弟弟对哥哥要恭敬。长辈和晚辈之间要注意尊卑的次序，朋友之间要注意守信用和讲义气，君主对臣子要尊重，臣子对君主要忠诚。这十种大义，人们都应当共同遵守。

cóng
从

yì

兼听则明偏信则暗

táng tài zōng lǐ shì mín zài wèi shí yǒu wèi dà chén jiào wèi zhēng shì wèi yǒu míng de zhōng chén
唐太宗李世民在位时，有位大臣叫魏征，是位有名的忠臣。
tā gāng zhèng bù ē gǎn yú zhí yán jiù shì duì huáng dì de yán xíng yě gǎn fā biǎo zì jǐ de bù
他刚正不阿，敢于直言，就是对皇帝的言行也敢发表自己的不
tóng yì jiàn tā de zuì yǒu míng de yán lùn shì jiān tīng zé míng piān xìn zé
同意见。他的最有名的言论是“兼听则明，偏信则
àn lǐ shì mín céng chēng zàn tā shuō wèi
暗”。李世民曾称赞他说：“魏
zhēng jiù shì wǒ de yí miàn jìng zi kě yǐ
征就是我的一面镜子，可以
shí cháng kàn dào zì jǐ de guò cuò wèi
时常看到自己的过错。”魏
zhēng qù shì hòu lǐ shì mín fēi cháng nán guò de
征去世后，李世民非常难过地
shuō wǒ shī qù le yí miàn jìng zi
说：“我失去了一面镜子。”

专家提示

可以把“十义”中积极的内容交给孩子继承和发扬，要他们懂得与人相处时的礼节。

fán xùn méng　xū jiǎng jiū　xiáng xùn gǔ　míng jù dòu
凡训蒙，须讲究。详训诂，明句读。
wéi xué zhě　bì yǒu chū　xiǎo xué　zhōng　zhì　sì shū
为学者，必有初。《小学》终，至“四书”。
lún yǔ　zhě　èr shí piān　qún dì zǐ　jì shàn yán
《论语》者，二十篇。群弟子，记善言。

注释

对儿童进行启蒙教育，必须讲究方法。要详细弄清字句的意思，说明应该在哪里断句。读书求学要循序渐进，选择教材要有好的开端。

《论语》这本书，共有二十篇。孔子的各位弟子，如颜回、曾参等，记录了许多孔子以及孔子的弟子们的至理名言。

jiǎng　shū
讲　书

孔子和他的弟子

yǒu yí cì kǒng zǐ hé tā de xuéshengyányuān zǐ lù zuò zài yì qǐ tán gè zì de zhì xiàng
有一次，孔子和他的学生颜渊、子路坐在一起谈各自的志向。
zǐ lù shuō wǒ yuàn yì bǎ wǒ de mǎ chē hé pí yī ná chu lai hé péng you gòngyòng jiù suànyòng
子路说："我愿意把我的马车和皮衣拿出来和朋友共用，就算用
huài le yě bù shēng qì yányuānshuō wǒ yuàn bù kuā
坏了也不生气。"颜渊说："我愿不夸
dà zì jǐ de cáinéng bù zhāngyáng zì jǐ de gōng láo
大自己的才能，不张扬自己的功劳。"
kǒng zǐ shuō wǒ xī wàngnián lǎo de rén néng dé dàofèng
孔子说："我希望年老的人能得到奉
yǎng ér shēnghuó wú yōu péng you
养而生活无忧，朋友
zhī jiān néng hù xiāng xìn rèn nián
之间能互相信任，年
qīng rén néngshòudàoguānhuái
轻人能受到关怀。"

专家提示

家长可以介绍一下孔子的历史地位及影响，并把《论语》也推荐给孩子读，可以从中学习做人的道理。

mèng zǐ zhě qī piān zhǐ jiǎng dào dé shuō rén yì
《孟子》者，七篇止。讲道德，说仁义。

zuò zhōng yōng zǐ sī bǐ zhōng bù piān yōng bú yì
作《中庸》，子思笔。中不偏，庸不易。

zuò dà xué nǎi zēng zǐ zì xiū qí zhì píng zhì
作《大学》，乃曾子。自修齐，至平治。

注释

《孟子》这本书，共有七篇。记录了孟轲的事迹和言论，中心都不离“仁义道德”这四个字。

《中庸》这本书的作者是子思。书中讲的是公平合理、不偏不倚、永不改变的道理。

写《大学》的人，名叫曾参，他是孔子的门生，以“孝”著称。《大学》这本书阐述了修身、齐家、治国、平天下的一整套理论的学以致用，是儒家的重要典籍。

zhě	bù	píng
者	不	平

曾子杀猪传千古

zēng zǐ wéi rén yán ér yǒu xìn yǒu yì tiān tā de qī zi yào qù gǎn jí hái zi lā zhe tā de
曾子为人言而有信。有一天，他的妻子要去赶集，孩子拉着她的
shǒu bú fàng qī zi jiù hǒng hái zi shuō hǎo hāor zài jiā wán děng wǒ huí lái gěi nǐ shā zhū
手不放。妻子就哄孩子说："好好儿在家玩，等我回来给你杀猪
chī tā cóng jí shang huí lai shí gāng yí dào jiā jiàn zēng zǐ mó dāo huò huò
吃。"她从集上回来时，刚一到家，见曾子磨刀霍霍，
zhēn yào shā zhū tā máng shuō wǒ shì hǒng hái zi wánr de zēng
真要杀猪，她忙说："我是哄孩子玩儿的。"曾
zǐ shuō jīn tiān nǐ piàn tā jiāng lái tā jiù huì piàn nǐ zhè
子说："今天你骗他，将来他就会骗你，这
yàng xià qu néng xíng ma yú shì tā zhēn bǎ
样下去能行吗？"于是，他真把
zhū gěi shā le
猪给杀了。

专家提示

可以简要地向孩子解释"修身""齐家""治国""平天下"的含义，从小培养孩子的远大志向。

zì xī nóng zhì huáng dì hào sān huáng jū shàng shì
自羲农，至黄帝。号三皇，居上世。

táng yǒu yú hào èr dì xiāng yī xùn chēng shèng shì
唐有虞，号二帝。相揖逊，称盛世。

xià yǒu yǔ shāng yǒu tāng zhōu wén wǔ chēng sān wáng
夏有禹，商有汤。周文武，称三王。

注释

从伏羲、神农到黄帝，他们三位世称“三皇”，都是生活在上古时代的部落首领。

唐尧和虞舜是上古时代的二位皇帝，尧把帝位让给了舜，他们统治的时代天下安享太平。

夏禹、商汤和周文王、周武王，他们这几位都是开国圣君，史称“三王”。

zì	hào	wáng
自	号	王

大禹治水

yuǎn gǔ shí qī huáng hé liú yù fā shēng le hěn dà de shuǐ zāi nián qīng lì zhuàng de dà yǔ
远古时期，黄河流域发生了很大的水灾。年轻力壮的大禹
yì xīn xiǎng zhì shuǐ měi tiān dào chù bēn bō jǐ cì jīng guò zì jǐ de jiā mén dōu méi yǒu jìn qu yǒu
一心想治水，每天到处奔波，几次经过自己的家门都没有进去。有
yí cì tā qī zi tú shān shì shēng xià le ér zi qǐ yīng ér zhèng zài wā wā de kū yǔ hé tóng
一次，他妻子涂山氏生下了儿子启，婴儿正在哇哇地哭。禹和同
bàn men zài wài jīng guò dà jiā dōu quàn yǔ jìn qù kàn kan yǔ jiān jué
伴们在外经过，大家都劝禹进去看看，禹坚决
de shuō děng wǒ bǎ shuǐ zhì hǎo le zài huí jiā ba yǔ
地说：“等我把水治好了，再回家吧！”禹
píng jiè zhè zhǒng jīng shen zhōng yú zhì fú
凭借这种精神，终于治服
le hóng shuǐ
了洪水。

专家提示

先给孩子讲讲大禹治水的事迹，再结合“三字经”，给孩子简单讲解一下中国早期的历史知识。

xià chuán zǐ　jiā tiān xià　sì bǎi zǎi　qiān xià shè
夏传子，家天下。四百载，迁夏社。

tāng fá xià　guó hào shāng　liù bǎi zǎi　zhì zhòu wáng
汤伐夏，国号商。六百载，至纣亡。

zhōu wǔ wáng　shǐ zhū zhòu　bā bǎi zǎi　zuì cháng jiǔ
周武王，始诛纣。八百载，最长久。

注释

从夏朝开始，废弃了君主的禅让制，把国家当成私家财产传给子孙，这就是所谓的“家天下”。夏朝从大禹开始，传给儿子启，以后代代相传，至十六代君夏桀，因其暴虐荒淫而亡国，前后四百余年。

商汤王讨伐夏桀，建立了商朝。商朝延续了六百多年，到商纣王时灭亡。

周武王发兵，消灭了商纣王，建立了周朝廷，前后延续了八百多年，是历代王朝中时间最长的。

tiān　bǎi　jiǔ
天　百　久

商汤革命

xià cháo yǒu ge bào jūn jiào xià jié tā tǒng zhì cán bào lǎo bǎi xìng dōu hèn tòu le tā dāng
夏朝有个暴君，叫夏桀。他统治残暴，老百姓都恨透了他。当
shí de xǔ duō bù luò dōu zhú jiàn pàn lí xià cháo shāng bù luò shǒu lǐng shāng tāng
时的许多部落都逐渐叛离夏朝，商部落首领商汤
chèn jī qǐ bīng lián hé qí tā bù luò zài míng tiáo jīn hé nán fēng qiū xiàn
趁机起兵，联合其他部落，在鸣条（今河南封丘县
dōng de zuì hòu yí zhàn zhōng quán jiān xià jié de jūn duì zhè yàng
东）的最后一战中，全歼夏桀的军队。这样，
xià cháo jiù bèi xīn jiàn lì de shāng cháo dài tì
夏朝就被新建立的商朝代替
le lì shǐ shang bǎ shāng tāng fá xià chēng wéi
了。历史上把商汤伐夏称为
shāng tāng gé mìng
商汤革命。

专家提示

小孩子大多喜欢听故事，家人可以耐心地给孩子讲解，让他知道坏人都是会受到惩罚的。

zhōu zhé dōng wáng gāng zhuì chěng gān gē shàng yóu shuì

周辙东，王纲坠。逞干戈，尚游说。

shǐ chūn qiū zhōng zhàn guó wǔ bà qiáng qī xióng chū

始春秋，终战国。五霸强，七雄出。

yíng qín shì shǐ jiān bìng chuán èr shì chǔ hàn zhēng

嬴秦氏，始兼并。传二世，楚汉争。

注释

自周平王东迁洛阳，周朝的统治就日益衰落了。各方诸侯逞强凌弱，战争不停，游说的谋士们也越来越多。

东周分春秋和战国两个时期。春秋有五个诸侯国称霸，战国有七个国家称雄。

秦王嬴政统一天下，建立了秦朝，传到秦二世时，秦朝灭亡了，项羽和刘邦开始争夺天下。

gān 干

guó 国

hàn

秦始皇设立郡县

qín shǐ huáng miè le liù guó tǒng yī le quán guó gāi zěn yàng lái zhì lǐ zhè gè páng dà de guó jiā
秦始皇灭了六国，统一了全国。该怎样来治理这个庞大的国家
ne yǒu rén zhǔ zhāng jì xù fēn fēng dà dà xiǎo xiǎo de zhū hóu dàn qín shǐ huáng què tīng cóng le lǐ sī
呢？有人主张继续分封大大小小的诸侯。但秦始皇却听从了李斯
de jiàn yì gǎi fēn fēng zhì wéi jùn xiàn zhì bǎ quán guó huà fēn
的建议，改分封制为郡县制，把全国划分
wéi sān shí liù ge jùn jùn xià shè xiàn guān
为三十六个郡，郡下设县，官
yuán yóu zhōng yāng rèn mìng hòu lái jùn
员由中央任命。后来，郡
zēng jiā dào sì shí ge jùn xiàn zhì zhì jīn
增加到四十个。郡县制至今
réng wéi shì jiè jué dà duō shù guó jiā cǎi yòng
仍为世界绝大多数国家采用。

专家提示

秦始皇是中国历史上的第一个皇帝，家长可以给孩子讲讲他统一六国、修建长城的故事，帮助孩子了解历史人物。

gāo zǔ xīng hàn yè jiàn zhì xiào píng wáng mǎng cuàn
高祖兴，汉业建。至孝平，王莽篡。

guāng wǔ xīng wéi dōng hàn sì bǎi nián zhōng yú xiàn
光武兴，为东汉。四百年，终于献。

wèi shǔ wú zhēng hàn dǐng hào sān guó qì liǎng jìn
魏蜀吴，争汉鼎。号三国，迄两晋。

注释 汉高祖刘邦在沛县起兵，最后建立了汉朝基业，都城在长安。到孝平帝时，外戚王莽篡权，改国号为“新”，天下大乱。

刘秀起兵消灭了王莽，光复汉室，被称为东汉，刘秀为光武帝。东汉延续了四百年，最后结束于献帝。

东汉末年，曹操、刘备、孙权争夺汉朝天下，先后建立曹魏、蜀汉、孙吴政权，称为“三国”。魏灭蜀后，司马炎称帝建立晋，史称“西晋”。西晋灭吴，完成统一。后匈奴刘汉灭西晋，司马睿在南方建立东晋。

gāo	píng	nián
高	平	年

三顾茅庐

sān guó shí de shǔ guó zuì chū suī yǒu xǔ duō měng jiàng dàn shì dú quē yí wèi móu chén cè huà
三国时的蜀国，最初虽有许多猛将，但是独缺一位谋臣策划。
liú bèi biàn jué dìng qīn zì qù qǐng jīng yú móu lüè de zhū gě liàng lái gòng móu guó shì liú bèi qián liǎng
刘备便决定亲自去请精于谋略的诸葛亮来共谋国事。刘备前两
cì qù dōu wú gōng ér fǎn dì sān cì zào fǎng shí zhū gě liàng zhèng zài wǔ
次去都无功而返。第三次造访时，诸葛亮正在午
shuì yú shì liú bèi biàn zài lú wài jìng hòu děng zhū gě liàng xǐng
睡，于是刘备便在庐外静候。等诸葛亮醒
lái liú bèi xiàng tā shuō míng lái yì zhū gě
来，刘备向他说明来意，诸葛
liàng bèi liú bèi de chéng yì gǎn dòng biàn tóng
亮被刘备的诚意感动，便同
yì yǔ tā gòng móu guó shì
意与他共谋国事。

专家提示

启发孩子想一想，刘备为什么能请到诸葛亮帮助他，可以告诉孩子真诚地对待别人，也能得到真心的回报。

sòng qí jì liáng chén chéng wéi nán cháo dū jīn líng
宋齐继，梁陈承。为南朝，都金陵。

běi yuán wèi fēn dōng xī yǔ wén zhōu yǔ gāo qí
北元魏，分东西。宇文周，与高齐。

dài zhì suí yī tǔ yǔ bú zài chuán shī tǒng xù
迨至隋，一土宇。不再传，失统绪。

注释

东晋灭亡后，宋、齐、梁、陈四个朝代相继更替，这四朝统称“南朝”，都城都在金陵。当时与“南朝”对峙的还有“北朝”，先是鲜卑族拓跋部建立的北魏，魏孝文帝改姓拓跋为元，又称元魏；后分裂成东魏和西魏。西魏以后又被宇文氏取代，建立了北周政权；东魏则被高氏取代，建立了北齐政权。

等到隋文帝统一天下后，只往下传了一代，隋朝就灭亡了。

nán zhōu
南 周

孝文帝迁都

北魏孝文帝是一个政治上有才干的人，他认为要巩固魏朝的统治，一定要吸收中原的文化，改革鲜卑族一些落后的习俗。为此，他决心把国都从平城（今山西大同市东北）搬迁到洛阳。迁都之后，孝文帝就颁布一系列政令，改革鲜卑的旧风俗，使北魏的政治、经济有了很大发展，也进一步促进了鲜卑族和汉族的融合。

专家提示

指导孩子做事情要坚持到底，结合孝文帝的故事，教给孩子做事要讲求方法，多动脑筋。

táng gāo zǔ qǐ yì shī chú suí luàn chuàng guó jī
唐高祖，起义师。除隋乱，创国基。
èr shí chuán sān bǎi zǎi liáng miè zhī guó nǎi gǎi
二十传，三百载。梁灭之，国乃改。
liáng táng jìn jí hàn zhōu chēng wǔ dài jiē yǒu yóu
梁唐晋，及汉周。称五代，皆有由。

注释

唐高祖李渊起兵反隋，隋朝灭亡，李渊称帝，改国号为唐。

唐朝前后二十个皇帝，政权延续了近三百年，最终被后梁所灭。后梁、后唐、后晋、后汉、后周，史称“五代”。“五代”的更迭，都各有缘由。

qǐ 起　dài 代

水能载舟，亦能覆舟

唐太宗李世民十分重视对子女的教育。有一次，他看见太子坐在船上玩耍，就问："你知道坐船的道理吗？"太子回答："不知道。"唐太宗耐心地讲道："船好比皇帝，水好比百姓，你要懂得'水能载舟，亦能覆舟'这个道理。将来你继承了皇位，要小心谨慎，体察民情，不然的话，祖上的江山就会丧失在你的手里。"

专家提示

给孩子讲讲唐太宗治理国家的故事，引导他想一想隋朝为什么会灭亡，帮助孩子理解这段历史故事的含义。

yán sòng xīng　shòu zhōu shàn　shí bā chuán　nán běi hùn
炎宋兴，受周禅。十八传，南北混。

liáo yǔ jīn　jiē chēng dì　yuán miè jīn　jué sòng shì
辽与金，皆称帝。元灭金，绝宋世。

lì zhōng guó　jiān róng dí　jiǔ shí zǎi　guó zuò fèi
莅中国，兼戎狄。九十载，国祚废。

注释 公元960年，后周大将赵匡胤发动了陈桥驿兵变，黄袍加身，接受了后周小皇帝柴宗训的“禅让”诏书，建立了大宋王朝。一共传了十八代君主。

北朝的辽国和金国在宋朝建立前后都自称为帝。后蒙古大汗铁木真灭了金国，建立元朝。元世祖忽必烈又灭了南宋。

蒙古人进入中原，又兼并了西方和北方各少数民族，实现了中国统一。政权延续近九十年后，被朱元璋所灭。

shí	zhōng
十	中

文天祥

wén tiān xiáng shì nán sòng shí de guān yuán zài nián de yí cì zhàn dòu zhōng tā bèi yuán
文天祥是南宋时的官员，在1278年的一次战斗中，他被元
cháo jūn duì fú huò cì nián bèi sòng zhì dà dū guān yā wén tiān xiáng láo jì fù
朝军队俘获，次年被送至大都关押。文天祥牢记父
qīn de jiào huì zài yù zhōng tā xiě xià le rén shēng
亲的教诲，在狱中，他写下了“人生
zì gǔ shéi wú sǐ liú qǔ dān xīn zhào hàn qīng
自古谁无死，留取丹心照汗青”
de qiān gǔ míng jù jī lì zhe wú shù hòu
的千古名句，激励着无数后
dài rén rén zhì shì wèi guó wèi mín fèn
代仁人志士为国为民奋
dòu bù xī
斗不息。

专家提示

可以指导孩子背诵文天祥的名诗，讲讲南宋后期战乱频繁的原因，使孩子对这个历史故事有一个全面的认识。

tài zǔ xīng guó dà míng hào hóng wǔ dū jīn líng

太祖兴，国大明。号洪武，都金陵。

dài chéng zǔ qiān yān jīng shí qī shì zhì chóng zhēn

迨成祖，迁燕京。十七世，至崇祯。

quán yān sì kòu rú lín zhì lǐ chuǎng shén qì fén

权阉肆，寇如林。至李闯，神器焚。

注释

朱元璋建立明朝，史称明太祖，年号洪武，建都于应天府即金陵城。

到了明成祖时，为了抗击北方蒙古族的威胁，便于控制东北，迁都于燕京。皇位传了十七代，崇祯帝时，宦官掌权，肆意妄为，农民起义遍及全国，直到李自成领导的农民起义军攻进北京，明朝的统治被推翻。

dà jīng

大 京

明太祖和他的开国元勋

zài zhū yuán zhāng dāng wú wáng shí jiāng nán fā shēng le yì chǎng hàn zāi tā de bù xià liú bó
在朱元璋当吴王时，江南发生了一场旱灾。他的部下刘伯
wēn dǒng tiān wén bìng guān cè dào wèi lái jǐ rì nèi bì yǒu yì chǎng dà yǔ biàn duì zhū yuán zhāng shuō
温懂天文，并观测到未来几日内必有一场大雨，便对朱元璋说：
tiān yì zhí bú xià yǔ shì yīn wèi láo yù li guān yā de rén yǒu yuān
“天一直不下雨，是因为牢狱里关押的人有冤
qū zhū yuán zhāng xiāng xìn le liú bó
屈。”朱元璋相信了刘伯
wēn de huà bìng pài tā qù diào chá liú
温的话，并派他去调查。刘
bó wēn jǐ rì nèi biàn píng fǎn le xǔ duō
伯温几日内便平反了许多
yuān àn méi chū jǐ tiān guǒ rán wū yún
冤案。没出几天，果然乌云
mì bù xià le yì chǎng tòu yǔ
密布，下了一场透雨。

专家提示

朱元璋建立明朝的传奇经历是教育孩子的好故事，在给孩子讲故事的同时，还可以介绍一些朱元璋的生平，帮助孩子记住这段历史。

qīng tài zǔ yīng jǐng mìng jìng sì fāng kè dà dìng

清太祖，膺景命。靖四方，克大定。

niàn sì shǐ quán zài zī zǎi zhì luàn zhī xīng shuāi

廿四史，全在兹。载治乱，知兴衰。

dú shǐ zhě kǎo shí lù tōng gǔ jīn ruò qīn mù

读史者，考实录。通古今，若亲目。

注释 清太祖承受上天的旨意，派兵进入山海关，并攻陷李自成占据的北京，并定为国都。以后又相继战胜了福王、鲁王、唐王、桂王等南明小朝廷以及农民义军，最终建立了空前巩固的多民族封建帝国。

自秦汉至大明，共有史书二十四部，上面说的历史全都写在这里面，记载着各朝各代或天下大治或天下大乱的史实，让我们了解每个朝代兴盛衰败的来龙去脉。

凡是阅读历史的人，除了读各朝史书之外，还要了解史官记录的帝王活动大事，这样才能通晓古往今来的史实，好像自己亲眼看到一样。

史记

qīng dìng quán

清 定 全

qīng cháo qián lóng shí qī yóu zhāng tíng yù děng rén xiū zhuàn míng shǐ dìng gǎo qián lóng huáng
清朝乾隆时期，由张廷玉等人修撰《明史》定稿。乾隆皇
dì xià zhào lìng kān chū cóng shǐ jì dào míng shǐ de lì dài
帝下诏，令刊出从《史记》到《明史》的历代
shǐ shū gòng èr shí èr bù hòu lái tā yòu xià zhào zēng kān
史书，共二十二部。后来，他又下诏增刊《
jiù táng shū bìng zhǐ shì cóng yǒng lè dà diǎn děng shū zhōng
旧唐书》，并指示从《永乐大典》等书中
biān jí chū yóu sòng cháo xuē jū zhèng děng rén xiū zuǎn de jiù wǔ dài
编辑出由宋朝薛居正等人修纂的《旧五代
shǐ hé chēng èr shí sì shǐ yóu cháo tíng guān yuán zhuàn
史》，合称二十四史，由朝廷官员撰
kè jí wǔ yīng diàn kè běn qīng yǐ hòu de gè
刻，即武英殿刻本。清以后的各
zhǒng fān kè běn dà tǐ yǐ cǐ wéi gēn jù
种翻刻本大体以此为根据。

专家提示

二十四史是一套知识性很强的史书，家长可以把二十四史的书列举出来，可以不用让孩子都记住，但一些重点的要指给孩子。

kǒu ér sòng xīn ér wéi zhāo yú sī xī yú sī
口而诵，心而惟。朝于斯，夕于斯。

xī zhòng ní shī xiàng tuó gǔ shèng xián shàng qín xué
昔仲尼，师项橐。古圣贤，尚勤学。

zhào zhōng lìng dú lǔ lún bǐ jì shì xué qiě qín
赵中令，读《鲁论》。彼既仕，学且勤。

注释

读书时，口里要吟诵，心里要思考。白天要这样做，晚上也要这样做。

古时候的孔子，曾拜七岁神童项橐为师。古代圣贤尚且如此勤奋求学，何况我们这些平常人。北宋大臣赵普喜欢读《论语》。虽然他已经做了大官，但学习仍这样勤奋，令人敬佩。

kǒu 口

xīn

dú

孔子师项橐

chūn qiū shí dài yǒu yí cì kǒng zǐ yǔ xué sheng zuò zhe mǎ chē chū mén zài tú zhōng kàn dào
春秋时代，有一次，孔子与学生坐着马车出门，在途中看到
xǔ duō hái tóng zài lù páng wán zhù chéng de yóu xì kǒng zǐ de dì zǐ gào su tā men chē zi yào jīng
许多孩童在路旁玩筑城的游戏。孔子的弟子告诉他们车子要经
guò qǐng tā men dào lù páng wán zhǐ jiàn qí zhōng yí gè jiào xiàng tuó de xiǎo háir lǐ zhí qì zhuàng
过，请他们到路旁玩。只见其中一个叫项橐的小孩儿理直气壮
de duì kǒng zǐ shuō wǒ zhǐ tīng guo mǎ chē rào zhe chéng zǒu
地对孔子说："我只听过马车绕着城走，
méi tīng guò chāi chéng ràng chē zi guò de dào lǐ kǒng
没听过拆城让车子过的道理。"孔
zǐ tīng le xiǎo hái de huà àn àn chēng zàn hòu
子听了小孩的话，暗暗称赞。后
lái kǒng zǐ bài xiàng tuó wéi shī xué xí lǐ yí
来，孔子拜项橐为师，学习礼仪。

专家提示

"古圣贤，尚勤学。"何况是我们现代人呢！家长在给孩子讲孔子的故事时，提醒他要努力学习。

pī pú biān xiāo zhú jiǎn bǐ wú shū qiě zhī miǎn
披蒲编，削竹简。彼无书，且知勉。

tóu xuán liáng zhuī cì gǔ bǐ bú jiào zì qín kǔ
头悬梁，锥刺股。彼不教，自勤苦。

rú náng yíng rú yìng xuě jiā suī pín xué bú chuò
如囊萤，如映雪。家虽贫，学不辍。

注释

西汉人路温舒，用蒲草编成“简”，抄书学习。公孙弘用竹做“简”。他们无钱买书，但还不忘勤勉努力。

汉代人孙敬读书时如打瞌睡，就把头发吊在屋梁上，继续读书。战国时的苏秦，困倦时用锥刺大腿让自己惊醒。他们不用别人督促而自觉地勤奋刻苦学习。

晋代人车胤把萤火虫捉来放在一只薄纱袋里用来照明读书；孙康用反射雪光照明读书。他们虽然家境贫困，但从来不因为条件差而停止学习。

wú	tóu	xuě
无	头	雪

苏秦锥刺股

zhàn guó shí yǒu ge zòng héng jiā míng jiào sū qín tā tiān tiān fú àn sòng dú yán jiū bīng
战国时，有个“纵横家”名叫苏秦，他天天伏案诵读，研究兵
fǎ yè wǎn dú shū dào hūn hūn yù shuì de shí hou tā jiù yòng zhuī zi zhā cì dà tuǐ yǐ tí shén zài
法。夜晚读书到昏昏欲睡的时候，他就用锥子扎刺大腿，以提神再
dú jiù zhè yàng kǔ dú shēn yán tā shú liàn de zhǎng wò le bīng fǎ yào
读。就这样苦读深研，他熟练地掌握了兵法要
lǐng yì nián hòu sū qín yǐ hé zòng
领。一年后，苏秦以“合纵”
de zhǔ zhāng qù yóu shuì liù guó
的主张去游说六国，
zhōng yú xíng chéng liù guó lián hé kàng qín de
终于形成六国联合抗秦的
jú miàn tā hái bèi shòu yǔ liù guó xiàng yìn
局面，他还被授予六国相印。

专家提示

家长要让孩子知道，虽然不一定要“头悬梁，锥刺股。”但古人那种发奋学习的精神仍然值得每个人学习。

rú fù xīn rú guà jiǎo shēn suī láo yóu kǔ zhuō
如负薪，如挂角。身虽劳，犹苦卓。

sū lǎo quán èr shí qī shǐ fā fèn dú shū jí
苏老泉，二十七。始发愤，读书籍。

bǐ jì lǎo yóu huǐ chí ěr xiǎo shēng yí zǎo sī
彼既老，犹悔迟。尔小生，宜早思。

注释

西汉人朱买臣，一边背着柴，一边念着书；隋代人李密，边放牛，边读书。他们尽管劳累，但仍然刻苦学习。

宋朝的苏洵直到二十七岁时才开始发愤读书，后来成为有名的文学家。苏洵年纪大了，才后悔学得太迟，所以你们这些小孩子应当趁早努力读书，用心思考问题，等到年长时就不会后悔了。

shēn fā chí
身 发 迟

苏洵焚稿

sū xún nián qīng shí bìng bú ài dú shū zhí dào èr shí qī suì cái fā fèn xué xí xué le yì nián
苏洵年轻时并不爱读书，直到二十七岁才发愤学习，学了一年
duō jiù qù kǎo jìn shì mào cái jié guǒ dōu méi yǒu kǎo zhòng zhè cái shǐ tā rèn shi dào xué xí bìng
多，就去考进士、茂才，结果都没有考中。这才使他认识到，学习并
bù róng yì yào qǔ dé chéng gōng fēi xià kǔ gōng fu bù kě yú
不容易，要取得成功非下苦功夫不可。于
shì sū xún bǎ zì jǐ guò qù suǒ yǒu bù chéng xíng de zuò pǐn quán
是，苏洵把自己过去所有不成形的作品全
bù shāo diào jué xīn cóng tóu kāi shǐ bì mén kǔ dú rú
部烧掉，决心从头开始，闭门苦读，如
cǐ fā fèn le wǔ liù nián zhōng yú
此发愤了五六年，终于
wén cái dà jìn xià bǐ rú yǒu shén
文才大进，下笔如有神，
qǐng kè shù qiān yán
顷刻数千言。

专家提示

熟读这段文字，让孩子思考一下自己现在应怎样安排时间，做到不浪费每一分钟。除此之外，还应让孩子学习苏洵知错能改的品格。

ruò liáng hào bā shí èr duì dà tíng kuí duō shì
若梁灏，八十二。对大廷，魁多士。

bǐ jì chéng zhòng chēng yì ěr xiǎo shēng yí lì zhì
彼既成，众称异。尔小生，宜立志。

yíng bā suì néng yǒng shī mì qī suì néng fù qí
莹八岁，能咏诗。泌七岁，能赋棋。

宋人梁灏在八十二岁高龄时，在朝廷进行的进士考试中，战胜了所有的考试者，夺取了状元。梁灏八十二岁尚且知道上进，而你们还是小孩子，从小立定志向并为之努力，就一定会成功。

北魏人祖莹八岁时就能咏诗成章，唐朝人李泌七岁时就吟出写棋的诗句。

duō shēng lì
多 生 立

书巢

dà shī rén lù yóu gěi zì jǐ de zhù shì qǔ le yí gè hěn yǒu qù de míng zi shū cháo tā de
大诗人陆游给自己的住室取了一个很有趣的名字“书巢”。他的
péng you wèn tā wèi shén me yào qǔ zhè ge míng zi ne lù yóu xiào
朋友问他:“为什么要取这个名字呢?”陆游笑
zhe shuō zài wǒ de fáng zi li dào chù dōu shì shū ér
着说:“在我的房子里,到处都是书。而
wǒ yǐn shí qǐ jū jí tòng shēn yín bēi xǐ yōu lè
我,饮食起居,疾痛呻吟,悲喜忧乐,
shǐ zhōng hé shū jiū chán zài yì qǐ zài fáng li xiǎng zǒu
始终和书纠缠在一起。在房里想走
dòng zǒu dòng yì yí bù jiù huì pèng dào
动走动,一移步就会碰到
shū suǒ yǐ wǒ jiào tā shū cháo
书,所以我叫它“书巢。”

专家提示

通过故事让孩子知道早立志的重要性,也要鼓励他们不要怕困难,要像梁灏那样有恒心,才能成大器。

bǐ yǐng wù，rén chēng qí。ěr yòu xué，dāng xiào zhī。
彼颖悟，人称奇。尔幼学，当效之。

cài wén jī，néng biàn qín。xiè dào yùn，néng yǒng yín。
蔡文姬，能辨琴。谢道韫，能咏吟。

bǐ nǚ zǐ，qiě cōng mǐn。ěr nán zǐ，dāng zì jǐng。
彼女子，且聪敏。尔男子，当自警。

注释

祖莹和李泌如此聪颖，人们都称奇。你们正处于求学时期，应当向他们学习。

汉代的蔡文姬精通音律。晋代女子谢道韫，能吟诗作对。蔡文姬和谢道韫都是女子，尚且如此聪慧，你们作为男子汉，更应当以她们为榜样警醒自己。

dāng	nǚ	nán
当	女	男

才女蔡文姬

cài wén jī míng cài yǎn shì wǒ guó dōng hàn mò nián yí wèi jié chū de nǚ shī rén hàn mò dà
蔡文姬，名蔡琰，是我国东汉末年一位杰出的女诗人。汉末大
luàn cài wén jī wéi luàn jūn suǒ lǔ zuò le nán xiōng nú zuǒ xián wáng de qī zi zài běi fāng shēng huó
乱，蔡文姬为乱军所掳，做了南匈奴左贤王的妻子，在北方生活
le shí èr nián cáo cāo jiǔ mù wén jī de shī míng biàn
了十二年。曹操久慕文姬的诗名，便
yòng jīn bì jiāng tā shú huí cài wén jī guī hàn
用金璧将她赎回。蔡文姬归汉
hòu jiē tì fù qīn xù xiě lì shǐ zhù zuò xù
后，接替父亲续写历史著作《续
hàn shū tóng shí wén jī hái jié hé zì jǐ de
汉书》。同时，文姬还结合自己的
bēi cǎn zāo yù chuàng zuò le bēi fèn shī děng zuò pǐn
悲惨遭遇创作了《悲愤诗》等作品。

专家提示

家长可以先给孩子讲讲蔡文姬和谢道韫的故事，让他们知道古代女子成才的困难性，鼓励小朋友勤学苦读。

táng liú yàn fāng qī suì jǔ shén tóng zuò zhèng zì
唐刘晏，方七岁。举神童，作正字。
bǐ suī yòu shēn yǐ shì ěr yòu xué miǎn ér zhì
彼虽幼，身已仕。尔幼学，勉而致。
yǒu wéi zhě yì ruò shì
有为者，亦若是。

注释

唐代的刘晏刚七岁时，就被推举为神童，并被授予翰林院正字的官职。

刘晏年纪虽然幼小，但已身居官位，你们这些年幼的学生，只要勤勉学习，也能达到这样的成就。

zhèng wéi
正 为

神童刘晏

liú yàn shì táng xuán zōng shí de yí gè xiǎo shén tóng céng jīng xiě le yì piān dōng fēng sòng
刘晏是唐玄宗时的一个小神童，曾经写了一篇《东封颂》
de wén zhāng xiàn gěi xuán zōng xuán zōng kàn le yǐ hòu zàn bù jué kǒu yú shì zhào jiàn liú yàn dāng
的文章献给玄宗。玄宗看了以后赞不绝口，于是召见刘晏。当
tā jiàn dào liú yàn jìng hái shì ge hái zi shí biàn mìng zǎi xiàng men kǎo yi kǎo liú yàn jīng guò zhū wèi
他见到刘晏竟还是个孩子时，便命宰相们考一考刘晏。经过诸位
dà rén de yì fān kǎo shì zhèng míng liú yàn guǒ zhēn
大人的一番考试，证明刘晏果真
cái néng chū zhòng táng xuán zōng biàn xià lìng ràng
才能出众。唐玄宗便下令让
liú yàn dān rèn zhèng zì guān xiāng dāng yú
刘晏担任正字官，相当于
xiàn zài de guó lì biān yì guǎn guǎn zhǎng
现在的国立编译馆馆长。

专家提示

这段诗文文言的成分较多，不易理解，家长只要引导孩子明白应该从小刻苦学习的道理就可以了。

quǎn shǒu yè jī sī chén gǒu bù xué hé wéi rén
犬守夜，鸡司晨。苟不学，曷为人。
cán tǔ sī fēng niàng mì rén bù xué bù rú wù
蚕吐丝，蜂酿蜜。人不学，不如物。
yòu ér xué zhuàng ér xíng shàng zhì jūn xià zé mín
幼而学，壮而行。上致君，下泽民。

注释

狗能够为主人守夜看家，公鸡知道早晨报晓；一个人如果不读书学习，怎么能做人呢？蚕能够吐丝供人纺织丝绸，蜂能够酿蜜供人食用。一个人如果不学习，就连这些小动物都不如了。

小的时候刻苦学习，长大以后才能有所作为。对上可以辅佐君王，对下可以造福百姓。

yòu xíng
幼 行

闻鸡起舞

xī jìn mò nián tiān xià dà luàn zhàn huǒ bú duàn yǒu wèi nián qīng rén jiào zǔ tì tā yǒu yí
西晋末年，天下大乱，战火不断。有位年轻人叫祖逖，他有一
gè hǎo péng you jiào liú kūn liǎng rén zhì tóng dào hé tā men xiǎng tōng guò liàn jiù yì shēn hǎo wǔ yì
个好朋友叫刘琨，两人志同道合，他们想通过练就一身好武艺，
lái bǎo jiā wèi guó yú shì měi tiān jī yí jiào tā men jiù pī yī qǐ chuáng
来保家卫国。于是每天鸡一叫，他们就披衣起床，
yì qí lái dào wū wài de kòng dì shang liàn qǐ wǔ lai jiù
一齐来到屋外的空地上，练起武来。就
zhè yàng tā men měi tiān jiān chí liàn xí shā dí běn
这样，他们每天坚持练习杀敌本
lǐng rì jiǔ tiān cháng zhōng yú
领，日久天长，终于
liàn jiù le yì shēn hǎo wǔ yì
练就了一身好武艺。

专家提示

“闻鸡起舞”的故事家喻户晓。这段文字相对简单，祖逖和刘琨为了练好武艺,很早就起来,不怕辛苦。从而教育孩子学习也要有这种精神。

yángmíngshēng xiǎn fù mǔ guāng yú qián yù yú hòu
扬名声，显父母。光于前，裕于后。
rén yí zǐ jīn mǎn yíng wǒ jiào zǐ wéi yī jīng
人遗子，金满籝。我教子，惟一经。
qín yǒu gōng xì wú yì jiè zhī zāi yí miǎn lì
勤有功，戏无益。戒之哉，宜勉力。

注释

使自己的名声远扬，让父母感到荣耀，给祖先带来光彩，为后代留下富裕。

人家留给子孙后代的都是成箱的黄金，而我教育子女只希望他能精通经书。

勤奋努力学习一定会获得成果，游戏、懒惰绝对没有益处，这一点要特别注意，应当不断勉励自己。

míng mǔ lì
名 母 力

铁杵磨针

xiāng chuán táng dài dà shī rén lǐ bái xiǎo shí hou hěn tān wán bú xǐ huan dú shū yì tiān tā
相传唐代大诗人李白小时候很贪玩，不喜欢读书。一天，他
táo xué chū qu wán shí kàn jiàn yí wèi lǎo pó po shǒu li ná zhe yì gēn tiě
逃学出去玩时，看见一位老婆婆，手里拿着一根铁
bàng zài shí tou shang yí gè jìnr de mó lǎo pó po gēn xiǎo lǐ bái
棒，在石头上一个劲儿地磨。老婆婆跟小李白
shuō yào mó chéng xiù huā zhēn lǐ bái hěn chī jīng zhè me cū de tiě
说要磨成绣花针。李白很吃惊："这么粗的铁
bàng zěn me néng mó chéng xiù huā zhēn ne pó
棒，怎么能磨成绣花针呢？"婆
po xiào zhe shuō hái zi tiě bàng zǒng shì yuè
婆笑着说："孩子，铁棒总是越
mó yuè xì zhǐ yào wǒ xià dìng jué xīn tiān tiān
磨越细，只要我下定决心，天天
mó hái pà chéng bu liǎo zhēn ma
磨，还怕成不了针吗？"

专家提示

通过读故事让孩子知道，要取得好成绩就得不停地努力，勤奋学习。家长可以再讲一些古人成长的故事，来激励孩子。

人之初，性本善。性相近，习相远。
苟不教，性乃迁。教之道，贵以专。
昔孟母，择邻处。子不学，断机杼。
窦燕山，有义方。教五子，名俱扬。
养不教，父之过。教不严，师之惰。
子不学，非所宜。幼不学，老何为？
玉不琢，不成器。人不学，不知义。
为人子，方少时。亲师友，习礼仪。
香九龄，能温席。孝于亲，所当执。
融四岁，能让梨。弟于长，宜先知。
首孝悌，次见闻。知某数，识某文。
一而十，十而百。百而千，千而万。
三才者，天地人。三光者，日月星。
三纲者，君臣义。父子亲，夫妇顺。
曰春夏，曰秋冬。此四时，运不穷。
曰南北，曰西东。此四方，应乎中。
曰水火，木金土。此五行，本乎数。
曰仁义，礼智信。此五常，不容紊。
稻粱菽，麦黍稷。此六谷，人所食。
马牛羊，鸡犬豕。此六畜，人所饲。
曰喜怒，曰哀惧。爱恶欲，七情俱。

匏土革，木石金。丝与竹，乃八音。
高曾祖，父而身。身而子，子而孙。
自子孙，至玄曾。乃九族，人之伦。
父子恩，夫妇从。兄则友，弟则恭。
长幼序，友与朋。君则敬，臣则忠。
此十义，人所同。
凡训蒙，须讲究。详训诂，明句读。
为学者，必有初。《小学》终，至“四书”。
《论语》者，二十篇。群弟子，记善言。
《孟子》者，七篇止。讲道德，说仁义。
作《中庸》，子思笔。中不偏，庸不易。
作《大学》，乃曾子。自修齐，至平治。
自羲农，至黄帝。号三皇，居上世。
唐有虞，号二帝。相揖逊，称盛世。
夏有禹，商有汤。周文武，称三王。
夏传子，家天下。四百载，迁夏社。
汤伐夏，国号商。六百载，至纣亡。
周武王，始诛纣。八百载，最长久。
周辙东，王纲坠。逞干戈，尚游说。
始春秋，终战国。五霸强，七雄出。
嬴秦氏，始兼并。传二世，楚汉争。

高祖兴，汉业建。至孝平，王莽篡。
光武兴，为东汉。四百年，终于献。
魏蜀吴，争汉鼎。号三国，迄两晋。
宋齐继，梁陈承。为南朝，都金陵。
北元魏，分东西。宇文周，与高齐。
迨至隋，一土宇。不再传，失统绪。
唐高祖，起义师。除隋乱，创国基。
二十传，三百载。梁灭之，国乃改。
梁唐晋，及汉周。称五代，皆有由。
炎宋兴，受周禅。十八传，南北混。
辽与金，皆称帝。元灭金，绝宋世。
莅中国，兼戎狄。九十载，国祚废。
太祖兴，国大明。号洪武，都金陵。
迨成祖，迁燕京。十七世，至崇祯。
权阉肆，寇如林。至李闯，神器焚。
清太祖，膺景命。靖四方，克大定。
廿四史，全在兹。载治乱，知兴衰。
读史者，考实录。通古今，若亲目。
口而诵，心而惟。朝于斯，夕于斯。
昔仲尼，师项橐。古圣贤，尚勤学。
赵中令，读《鲁论》。彼既仕，学且勤。

披蒲编，削竹简。彼无书，且知勉。
头悬梁，锥刺股。彼不教，自勤苦。
如囊萤，如映雪。家虽贫，学不辍。
如负薪，如挂角。身虽劳，犹苦卓。
苏老泉，二十七。始发愤，读书籍。
彼既老，犹悔迟。尔小生，宜早思。
若梁灏，八十二。对大廷，魁多士。
彼既成，众称异。尔小生，宜立志。
莹八岁，能咏诗。泌七岁，能赋棋。
彼颖悟，人称奇。尔幼学，当效之。
蔡文姬，能辨琴。谢道韫，能咏吟。
彼女子，且聪敏。尔男子，当自警。
唐刘晏，方七岁。举神童，作正字。
彼虽幼，身已仕。尔幼学，勉而致。
有为者，亦若是。
犬守夜，鸡司晨。苟不学，曷为人。
蚕吐丝，蜂酿蜜。人不学，不如物。
幼而学，壮而行。上致君，下泽民。
扬名声，显父母。光于前，裕于后。
人遗子，金满籯。我教子，惟一经。
勤有功，戏无益。戒之哉，宜勉力。

图书在版编目(CIP)数据

儿童启蒙第一课/崔钟雷主编.—长春:吉林摄影出版社,2006.12(2009.2重印)

ISBN 978-7-80606-926-4

Ⅰ.儿…　Ⅱ.崔…　Ⅲ.学前教育-教学参考资料

Ⅳ.G613

中国版本图书馆CIP数据核字(2006)第114145号

策　　划:钟　雷

责任编辑:王笠君 施 岚

装帧设计:稻草人工作室

儿童启蒙第一课

主编:崔钟雷　副主编:王丽萍　王丽艳

吉林摄影出版社出版发行

长春市泰来街1825号

邮政编码:130062

全国新华书店经销

哈尔滨经典印业有限公司印刷

开本889×1194毫米　1/24　印张 10　字数60千字

2006年12月第1版　2010年1月第4次印刷

ISBN 978-7-80606-926-4

定价:39.20元(共四册)